孔子学院总部/国家汉办 编制
Confucius Institute Headquarters(Hanban)

HSK真题集（二级）

Official Examination Papers of HSK (Level 2)

2014版

HSK Zhenti Ji

高等教育出版社·北京
HIGHER EDUCATION PRESS BEIJING

《HSK真题集》系列

前　言

汉语水平考试（HSK）秉承“考教结合、以考促学、以考促教”的理念，根据语言学和教育测量学的最新理论，于2009年实现全新改版，更好地适应了全球汉语教学的实际情况，成为最具广泛性和权威性的汉语能力评价标准，被普遍用作学校录取、企业用人等的重要依据。

截至2013年底，孔子学院总部/国家汉办在全球108个国家和地区设立了823个HSK考点，除传统的纸笔考试形式以外，计算机考试和网络考试也在逐步推广，极大地方便了每年数十万考生多样化的报考需求。

为满足广大汉语学习者学习、备考的需求，2014年我们继续出版《HSK真题集（2014版）》系列。本套真题集共7册，包括汉语水平考试（HSK）6册和汉语水平口语考试（HSKK）1册，每册包含相应等级的真题和答案各5套，并配有听力录音、听力文本和答题卡。希望本套真题集成为广大考生和汉语学习者的实用助手。

编　者

2014年1月

目　录

孔子学院总部/国家汉办
Confucius Institute Headquarters(Hanban)

汉语水平考试

HSK（二级）

H21223

注　　意

一、HSK（二级）分两部分：

　　1．听力（35题，约25分钟）

　　2．阅读（25题，22分钟）

二、**听力结束后，有3分钟填写答题卡。**

三、全部考试约55分钟（含考生填写个人信息时间5分钟）。

中国　北京　　　　孔子学院总部/国家汉办　编制

一、听 力

第一部分

第 1-10 题

例如：		√
		×
1.		
2.		
3.		
4.	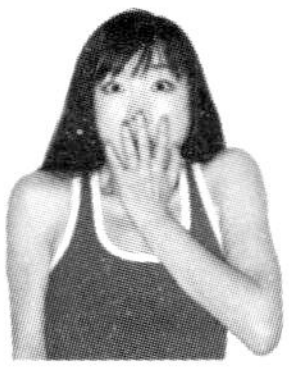	
5.		

6.		
7.		
8.		
9.		
10.		

第二部分

第 11-15 题

A

B

C

D

E

F

例如：男：你 喜欢 什么 运动？（Nǐ xǐhuan shénme yùndòng?）

女：我 最 喜欢 踢 足球。（Wǒ zuì xǐhuan tī zúqiú.） [D]

11. ☐

12. ☐

13. ☐

14. ☐

15. ☐

第 16-20 题

A

B

C

D

E

16. ☐

17. ☐

18. ☐

19. ☐

20. ☐

第三部分

第21-30题

例如：男：XiǎoWáng, zhèli yǒu jǐ ge bēizi, nǎge shì nǐ de?
小王，这里有几个杯子，哪个是你的？

女：Zuǒbian nàge hóngsè de shì wǒ de.
左边那个红色的是我的。

问：XiǎoWáng de bēizi shì shénme yánsè de?
小王的杯子是什么颜色的？

A hóngsè 红色 √　B hēisè 黑色　C báisè 白色

21. A jīntiān zhōngwǔ 今天中午　B míngtiān zhōngwǔ 明天中午　C hòutiān zhōngwǔ 后天中午

22. A zhàngfu 丈夫　B yīshēng 医生　C péngyou 朋友

23. A chá 茶　B niúnǎi 牛奶　C kāfēi 咖啡

24. A yīyuàn 医院　B xuéxiào 学校　C shāngdiàn 商店

25. A zuótiān 昨天　B shàng ge yuè 上个月　C qùnián 去年

26. A hěn hǎochī 很好吃　B hěn hǎoxiào 很好笑　C hěn hǎotīng 很好听

27. A lèi le 累了　B tiān yīn le 天阴了　C tiānqì tài rè 天气太热

28. A fángjiān li 房间里　B fēijī shàng 飞机上　C chūzūchē shàng 出租车上

29. A yǐzi 椅子　B zhuōzi 桌子　C zìxíngchē 自行车

30. A yào 药　B yángròu 羊肉　C mǐfàn 米饭

第四部分

第 31-35 题

例如：女：Qǐng zài zhèr xiě nín de míngzi.
请在这儿写您的名字。

男：Shì zhèr ma?
是这儿吗？

女：Bú shì, shì zhèr.
不是，是这儿。

男：Hǎo, xièxie.
好，谢谢。

问：Nánde yào xiě shénme?
男的要写什么？

	A	B	C
	míngzi 名字 √	shíjiān 时间	fángjiān hào 房间号

	A	B	C
31.	xiàyǔ le 下雨了	xiàxuě le 下雪了	tiān qíng le 天晴了
32.	shuǐguǒdiàn 水果店	fàndiàn li 饭店里	mèimei jiā 妹妹家
33.	dìdi 弟弟	fúwùyuán 服务员	Hànyǔ lǎoshī 汉语老师
34.	yóuyǒng 游泳	qǐchuáng 起床	dǎ lánqiú 打篮球
35.	yào mài bàozhǐ 要卖报纸	yào qù shàngkè 要去上课	yào qù chànggē 要去唱歌

二、阅读

第一部分

第 36-40 题

A

B

C

D

E

F

Měi ge xīngqīliù, wǒ dōu qù dǎ lánqiú.
例如：每 个 星期六 ， 我 都 去 打 篮球 。 [D]

Wǒ mèimei jīntiān pǎole ge dì-yī, tā fēicháng gāoxìng.
36. 我 妹妹 今天 跑了 个 第一，她 非常 高兴 。 [ ]

Zhège tí wǒ huì zuò, nǐ ràng wǒ zài xiǎngyixiǎng.
37. 这个 题 我 会 做 ，你 让 我 再 想一想 。 [ ]

Mā, zhège sòng gěi nín, shēngrì kuàilè!
38. 妈 ， 这个 送 给 您 ， 生日 快乐 ！ [ ]

Nàge xiǎo māo zài kàn shénme ne?
39. 那个 小 猫 在 看 什么 呢 ？ [ ]

Bǐyibǐ, nǐmen sān ge shéi zuì gāo?
40. 比一比，你们 三 个 谁 最 高 ？ [ ]

第二部分

第 41-45 题

	shíjiān		jīchǎng		kāishǐ		shēngbìng		guì		cóng
A	时间	B	机场	C	开始	D	生病	E	贵	F	从

Zhèr de yángròu hěn hǎochī, dànshì yě hěn
例如：这儿的羊肉很好吃，但是也很（ E ）。

Duìbuqǐ, wǒ xiànzài hěn máng, méi
41. 对不起，我现在很忙，没（ ）。

Diànyǐng jiù yào le, nǐmen kuài diǎnr jìnqù ba.
42. 电影就要（ ）了，你们快点儿进去吧。

Wéi, wǒ yǐjīng jiàoshì chūlái le, nǐ zài nǎr ne?
43. 喂，我已经（ ）教室出来了，你在哪儿呢？

Qīzi le, tā yí ge wǎnshang dōu méi shuìjiào.
44. 妻子（ ）了，他一个晚上都没睡觉。

Qǐng wèn, zhèr lí hái yuǎn ma?
45. 女：请问，这儿离（ ）还远吗？

Bù yuǎn le, zài yǒu fēnzhōng jiù dào le.
男：不远了，再有 10 分钟就到了。

第三部分

第 46-50 题

Xiànzài shì diǎn fēn, tāmen yǐjīng yóule fēnzhōng le.
例如：现在是 11 点 30 分，他们已经游了 20 分钟了。

Tāmen diǎn fēn kāishǐ yóuyǒng.
★ 他们 11 点 10 分开始游泳。 （ √ ）

Wǒ huì tiàowǔ, dàn tiàode bù zěnmeyàng.
我会跳舞，但跳得不怎么样。

Tā tiàode fēicháng hǎo.
★ 她跳得非常好。 （ × ）

Yǒu xiē rén xǐhuan zǎoshang qǐchuáng hòu hē yì bēi shuǐ, yīnwèi zǎoshang hē shuǐ duì shēntǐ fēicháng hǎo.
46．有些人喜欢早上起床后喝一杯水，因为早上喝水对身体非常好。

Zǎoshang hē shuǐ duì shēntǐ bù hǎo.
★ 早上喝水对身体不好。 （ ）

Wǒ zhè cì zhù de lǚguǎn zài huǒchēzhàn pángbiān, yě bú guì, wǒ juéde hěn búcuò, xià cì lái wǒ hái zhù nàr.
47．我这次住的旅馆在火车站旁边，也不贵，我觉得很不错，下次来我还住那儿。

Nà jiā lǚguǎn lí huǒchēzhàn hěn jìn.
★ 那家旅馆离火车站很近。 （ ）

Érzi, nǐ měi tiān yùndòng de shíjiān tài shǎo le, míngtiān zǎoshang hé wǒ yìqǐ qù pǎobù ba.
48．儿子，你每天运动的时间太少了，明天早上和我一起去跑步吧。

Tā xiǎng ràng érzi duō yùndòng.
★ 他想让儿子多运动。 （ ）

Děng kǎowán shì, wǒmen zhǔnbèi qù Běijīng wánr liǎng tiān, nǐ

49. 等 考完 试，我们 准备 去 北京 玩儿 两 天，你

qùbuqù?

去不去？

Tā zhèngzài Běijīng lǚyóu.

★ 他 正在 北京 旅游。 (   )

Zhège diànyǐng hěn cháng, yǒu liǎng ge duō xiǎoshí, yì zhāng piào

50. 这个 电影 很 长，有 两 个 多 小时，一 张 票

yuán, xuésheng piào yuán.

120 元，学生 票 70 元。

Xuésheng piào piányi.

★ 学生 票 便宜。 (   )

第四部分

第 51-55 题

A　Wǒ juéde xiěde fēicháng hǎo，wǒ xiānsheng yě hěn xǐhuan.
我 觉得 写得 非常 好，我 先生 也 很 喜欢。

B　Duìbuqǐ，lǎoshī，wǒ méi tīngdǒng.
对不起，老师，我 没 听懂。

C　Zǎo diǎnr xiūxi，míngtiān shàngwǔ diǎn jiàn.
早 点儿 休息，明天 上午 9 点 见。

D　Gē，nǐ de diànnǎo tài màn le.
哥，你 的 电脑 太 慢 了。

E　Tā zài nǎr ne？Nǐ kànjiàn tā le ma？
他 在 哪儿 呢？你 看见 他 了 吗？

F　Xièxie nǐ gàosu wǒ zhè jiàn shìqing.
谢谢 你 告诉 我 这 件 事情。

例如：Tā hái zài jiàoshì li xuéxí.
他 还 在 教室 里 学习。　[E]

51.　Qǐng nǐ lái huídá zhège wèntí hǎobuhǎo？
请 你 来 回答 这个 问题 好不好？　[ ]

52.　Zhè yǐjīng bǐ qián jǐ tiān kuàiduō le.
这 已经 比 前 几 天 快多 了。　[ ]

53.　Jīntiān wánr le yì tiān，lèile ba？
今天 玩儿 了 一 天，累了 吧？　[ ]

54.　Búkèqi，xīwàng néng duì nǐ yǒu bāngzhù.
不客气，希望 能 对 你 有 帮助。　[ ]

55.　Nǐ sòng wǒ de nà běn shū wǒ yǐjīng dúwán le.
你 送 我 的 那 本 书 我 已经 读完 了。　[ ]

第 56-60 题

A
Nǐ zhīdào "xìng" zěnme xiě ma?
你 知道 " 姓 " 怎么 写 吗 ？

B
Wǒ zài lù shang mǎile diǎnr píngguǒ.
我 在 路 上 买了 点儿 苹果 。

C
Nǐ zěnme huì rènshi nàge háizi?
你 怎么 会 认识 那个 孩子 ？

D
Yánsè búcuò, bǐ hēi de hǎokàn.
颜色 不错 ， 比 黑 的 好看 。

E
Nǐ hǎo, qǐng wèn Lǐ xiǎojiě zhù nǎge fángjiān?
你 好 ， 请 问 李 小姐 住 哪个 房间 ？

56. Zuǒbian shì "nǚ" zì, yòubian shì "shēng" zì.
左边 是 " 女 " 字 ， 右边 是 " 生 " 字 。 ☐

57. Wǒ xiǎng mǎi shǒujī, nǐ kàn zhège hóng de zěnmeyàng?
我 想 买 手机 ， 你 看 这个 红 的 怎么样 ？ ☐

58. Gěi wǒ ba, wǒ qù xǐxi.
给 我 吧 ， 我 去 洗洗。 ☐

59. Tā shì nǚ'ér de tóngxué, láiguo wǒmen jiā.
他 是 女儿 的 同学 ， 来过 我们 家 。 ☐

60. zuǒbian dì-yī ge.
507， 左边 第一 个 。 ☐

H21223 卷听力材料

（音乐，30 秒，渐弱）

大家好！欢迎参加 HSK（二级）考试。
大家好！欢迎参加 HSK（二级）考试。
大家好！欢迎参加 HSK（二级）考试。

HSK（二级）听力考试分四部分，共 35 题。
请大家注意，听力考试现在开始。

第一部分

一共 10 个题，每题听两次。

例如：我们家有三个人。
　　　我每天坐公共汽车去上班。

现在开始第 1 题：

1. 今天的菜很好吃。
2. 别说话了，现在开始考试。
3. 你好，很高兴认识你！
4. 这是真的？不可能吧？
5. 我看见他们在跳舞呢。
6. 今天是三十一号。
7. 他昨天下午买了一张桌子。
8. 这个手机是送给你的，希望你喜欢。
9. 外面冷，穿好衣服再出去。
10. 你的眼睛怎么了？

第二部分

一共 10 个题，每题听两次。

例如：男：你喜欢什么运动？
　　　女：我最喜欢踢足球。

现在开始第 11 到 15 题：

11．女：回去吧，再见。
男：再见，欢迎你们下次再来。

12．男：小狗没吃东西？
女：是，它可能生病了。

13．女：你觉得这件怎么样？
男：还可以，会不会有点儿大？

14．男：你姐姐在做什么呢？
女：她在那儿看书呢，我去叫她。

15．女：你买鸡蛋了吗？
男：买了，在桌子上。

现在开始第 16 到 20 题：

16．男：你介绍得非常好，对我们很有帮助。
女：真的吗？那就好。

17．女：你怎么了？一个人坐着想什么呢？
男：没关系，我在想公司的一些事情。

18．男：西瓜多少钱一斤？
女：一块二，很便宜。

19．女：向右开，走这边儿近。
男：我知道，但是这儿不让向右开。

20．男：你的东西就这么点儿？
女：是，门外面还有两个椅子。

第三部分

一共 10 个题，每题听两次。

例如：男：小王，这里有几个杯子，哪个是你的？
女：左边那个红色的是我的。
问：小王的杯子是什么颜色的？

现在开始第 21 题：

21．女：你要去中国？哪天的飞机？
男：就是今天中午。
问：男的什么时候去中国？

22．男：再有十分钟船就要开了，你朋友怎么还没到？
女：我也不知道，我给他打个电话问问。
问：女的要给谁打电话？

23．女：你喜欢喝咖啡吗？
男：不太喜欢，我爱喝茶。
问：男的爱喝什么？

24．男：白老师，您来这个学校多少年了？
女：我二十四岁就来这个学校了，到现在有三十多年了。
问：女的在哪儿工作？

25．女：你找到你的手表了？
男：没有，这是我昨天新买的。
问：那块儿新表是什么时候买的？

26．男：是真的吗？那太有意思了。
女：是真的，我也觉得很好笑。
问：他们觉得怎么样？

27．女：你怎么回来了？没去踢足球？
男：天气太热了，所以大家都回去了。
问：男的为什么回来了？

28．男：你到哪儿了？
女：我在出租车上，五分钟后就到。
问：女的现在在哪儿？

29．女：爸爸，这个自行车怎么样？
男：很漂亮，你喜欢吗？
问：他们在看什么？

30．男：吃药了吗？
女：还没呢，吃完饭一个小时后吃。
问：男的让女的吃什么？

第四部分

一共 5 个题，每题听两次。

例如：女：请在这儿写您的名字。
　　　男：是这儿吗？
　　　女：不是，是这儿。
　　　男：好，谢谢。
　　　问：男的要写什么？

现在开始第 31 题：

31．男：天晴了，我们出去走走吧。
　　女：我想在家看电视。
　　男：回来再看？
　　女：好吧，那你等我一下，我去穿件衣服。
　　问：外面天气怎么样？

32．女：我们要了几个菜了？
　　男：我看看，现在是七个。
　　女：好，再要一个鱼就可以了，就这些，谢谢。
　　男：不客气。
　　问：他们最可能在哪儿？

33．男：你看那块儿手表怎么样？我弟弟会不会喜欢？
　　女：很漂亮，但是太贵了。
　　男：两百块，不贵。
　　女：你再看看，那是两千，你少说了一个零。
　　问：男的想给谁买手表？

34．女：八点了，怎么还不起床？
　　男：让我再睡二十分钟。
　　女：二十分钟？你不去上班了？
　　男：今天是星期六。
　　问：女的想让男的做什么？

35．男：明天你去吗？
　　女：不去了，我明天上午有课。
　　男：明天星期日，怎么还有课？
　　女：是去学开车。
　　问：女的为什么明天不能去？

听力考试现在结束。

H21223 卷答案

一、听 力

第一部分

1. ×	2. ×	3. √	4. √	5. ×
6. √	7. ×	8. ×	9. √	10. √

第二部分

11. E	12. F	13. B	14. C	15. A
16. B	17. E	18. A	19. C	20. D

第三部分

21. A	22. C	23. A	24. B	25. A
26. B	27. C	28. C	29. C	30. A

第四部分

31. C	32. B	33. A	34. B	35. B

二、阅 读

第一部分

36. E	37. F	38. C	39. B	40. A

第二部分

41. A	42. C	43. F	44. D	45. B

第三部分

46. ×	47. √	48. √	49. ×	50. √

第四部分

51. B	52. D	53. C	54. F	55. A
56. A	57. D	58. B	59. C	60. E

孔子学院总部/国家汉办
Confucius Institute Headquarters(Hanban)

汉语水平考试

HSK（二级）

H21224

注　意

一、HSK（二级）分两部分：

　　1．听力（35 题，约 25 分钟）

　　2．阅读（25 题，22 分钟）

二、**听力结束后，有 3 分钟填写答题卡**。

三、全部考试约 55 分钟（含考生填写个人信息时间 5 分钟）。

中国　北京　　　　孔子学院总部/国家汉办　编制

一、听 力

第一部分

第 1-10 题

例如：		√
		×
1.		
2.		
3.		
4.		
5.		

6.		
7.		
8.		
9.		
10.		

第二部分

第 11-15 题

A

B

C

D

E

F

例如：男：你喜欢什么运动？ (Nǐ xǐhuan shénme yùndòng?)

女：我最喜欢踢足球。 (Wǒ zuì xǐhuan tī zúqiú.) D

11. ☐

12. ☐

13. ☐

14. ☐

15. ☐

第 16-20 题

A

B

C

D

E

16. □

17. □

18. □

19. □

20. □

第三部分

第21-30题

例如：男：XiǎoWáng, zhèli yǒu jǐ ge bēizi, nǎge shì nǐ de?
小王，这里有几个杯子，哪个是你的？

女：Zuǒbian nàge hóngsè de shì wǒ de.
左边那个红色的是我的。

问：XiǎoWáng de bēizi shì shénme yánsè de?
小王的杯子是什么颜色的？

A hóngsè 红色 √　　B hēisè 黑色　　C báisè 白色

21. A qíngtiān 晴天　　B yīntiān 阴天　　C xiàyǔ le 下雨了

22. A 13：00　　B 14：00　　C 15：00

23. A qù yóuyǒng le 去游泳了　　B qù mǎi piào le 去买票了　　C qù mǎi bàozhǐ le 去买报纸了

24. A hěn guì 很贵　　B tài dà 太大　　C bù hǎochī 不好吃

25. A diànshì 电视　　B shǒujī 手机　　C zìxíngchē 自行车

26. A jiějie de 姐姐的　　B mèimei de 妹妹的　　C nǚ'ér de 女儿的

27. A xiàng hòu kàn 向后看　　B zuò chuán qù 坐船去　　C qùnián láiguo 去年来过

28. A shēngbìng le 生病了　　B zǒucuò lù le 走错路了　　C shàngbān wǎn le 上班晚了

29. A 120 yuán 元　　B 1020 yuán 元　　C 1200 yuán 元

30. A xuéxiào 学校　　B gōngsī 公司　　C shāngdiàn 商店

第四部分

第 31-35 题

例如：女：Qǐng zài zhèr xiě nín de míngzi.
请在这儿写您的名字。

男：Shì zhèr ma?
是这儿吗？

女：Bú shì, shì zhèr.
不是，是这儿。

男：Hǎo, xièxie.
好，谢谢。

问：Nánde yào xiě shénme?
男的要写什么？

A míngzi 名字 √　　B shíjiān 时间　　C fángjiān hào 房间号

31. A xiǎng chī dōngxi 想吃东西　　B hái méi yùndòng 还没运动　　C yào zhǔnbèi kǎoshì 要准备考试

32. A jīchǎng 机场　　B huǒchēzhàn 火车站　　C diànyǐngyuàn 电影院

33. A yú 鱼　　B niúròu 牛肉　　C yángròu 羊肉

34. A háizi 孩子　　B tóngxué 同学　　C xuésheng 学生

35. A yīshēng 医生　　B lǎoshī 老师　　C fúwùyuán 服务员

二、阅 读

第一部分

第 36-40 题

A

B

C

D

E

F

例如：	Měi ge xīngqīliù, wǒ dōu qù dǎ lánqiú. 每个星期六，我都去打篮球。	D
36.	Wèishénme tā de bǐ wǒ de duō? 为什么她的比我的多？	
37.	Zhè jiàn hóngsè de hěn piàoliang, mǎi zhè jiàn ba. 这件红色的很漂亮，买这件吧。	
38.	Dōu zhème wǎn le, tā kěnéng bú huì dǎ diànhuà le. 都这么晚了，他可能不会打电话了。	
39.	Zhè běn shū xiěde zhēn yǒuyìsi. 这本书写得真有意思。	
40.	Cuò le, zuǒbian de shì gēge, yòubian zhège shì dìdi. 错了，左边的是哥哥，右边这个是弟弟。	

第二部分

第 41-45 题

dì-yī　pǎobù　zhāng　gěi　guì　yǐjīng
A 第一　B 跑步　C 张　D 给　E 贵　F 已经

Zhèr de yángròu hěn hǎochī， dànshì yě hěn
例如：这儿 的 羊肉 很 好吃 ， 但是 也 很 （ E ）。

Pángbiān nàge jiàoshì hái shǎo yì zhuōzi.
41. 旁边 那个 教室 还 少 一（　　）桌子 。

Míngtiān zǎoshang wǒmen qù ba.
42. 明天 早上 我们 去（　　）吧 。

Nǐ zhīdào ma？ Zhè shì wǒ cì kànjiàn xiàxuě.
43. 你 知道 吗 ？ 这 是 我（　　）次 看见 下雪 。

Fúwùyuán， qǐng wǒ yì bēi kāfēi， xièxie.
44. 服务员 ， 请 （　　）我 一 杯 咖啡 ， 谢谢 。

Nǐ lái Běijīng duō cháng shíjiān le？
45. 女：你 来 北京 多 长 时间 了 ？
Wǒ nián jiù lái Běijīng le， dào xiànzài nián le.
男：我 07 年 就 来 北京 了 ， 到 现在 （　　）5 年 了 。

第三部分

第 46-50 题

例如： Xiànzài shì diǎn fēn, tāmen yǐjīng yóule fēnzhōng le.
现在是 11 点 30 分，他们已经游了 20 分钟了。

Tāmen diǎn fēn kāishǐ yóuyǒng.
★ 他们 11 点 10 分开始游泳。 （ √ ）

Wǒ huì tiàowǔ, dàn tiàode bù zěnmeyàng.
我会跳舞，但跳得不怎么样。

Tā tiàode fēicháng hǎo.
★ 她跳得非常好。 （ × ）

46\. Yīnwèi Yán lǎoshī shēngbìng le, suǒyǐ zhè jǐ tiān bù néng gěi dàjiā shàng Hànyǔ kè le.
因为颜老师生病了，所以这几天不能给大家上汉语课了。

Yán lǎoshī shì Hànyǔ lǎoshī.
★ 颜老师是汉语老师。 （ ）

47\. Nàr fēicháng lěng, bǐ Běijīng lěng duō le, nǐ xiànzài qù lǚyóu, yào duō chuān diǎnr yīfu.
那儿非常冷，比北京冷多了，你现在去旅游，要多穿点儿衣服。

Nàr xiànzài hěn rè.
★那儿现在很热。 （ ）

48\. Dàjiā dōu zhīdào chī shuǐguǒ duì shēntǐ hǎo, dànshì hěn duō rén dōu bù zhīdào chī shuǐguǒ zuì hǎo de shíjiān shì zǎoshang.
大家都知道吃水果对身体好，但是很多人都不知道吃水果最好的时间是早上。

Wǎnshang chī shuǐguǒ zuì hǎo.
★ 晚上吃水果最好。 （ ）

49. Wǒ zuótiān qù zhǎo tā tī zúqiú, tā bú zài jiā, tīng tā jiějie shuō tā hé
我 昨天 去 找 他踢 足球，他 不 在 家，听 他 姐姐 说 他 和
péngyou yìqǐ qù chànggē le.
朋友 一起 去 唱歌 了。

Tāmen zuótiān qù tiàowǔ le.
★ 他们 昨天 去 跳舞 了。 ( )

50. XiǎoLǐ, huānyíng nǐ lái wǒmen gōngsī. Gōngzuò zhōng yǒu shénme bù
小李，欢迎 你 来 我们 公司。工作 中 有 什么 不
dǒng de shìqing dōu kěyǐ lái wèn wǒ, bú yào kèqi.
懂 的 事情 都 可以 来 问 我，不 要 客气。

Tā xīwàng néng bāngzhù XiǎoLǐ.
★ 他 希望 能 帮助 小李。 ( )

第四部分

第 51-55 题

A Wǒ lái jièshào yíxià, zhè shì wǒ xiānsheng.
我来介绍一下，这是我先生。

B Wǒ hěn shǎo dǎ lánqiú, dǎde bú tài hǎo.
我很少打篮球，打得不太好。

C Wǒ xiǎng sòng tā yí kuàir shǒubiǎo.
我想送她一块儿手表。

D Zhōngwǔ qù fànguǎnr chī, zěnmeyàng?
中午去饭馆儿吃，怎么样？

E Tā zài nǎr ne? Nǐ kànjiàn tā le ma?
他在哪儿呢？你看见他了吗？

F Bú jìn, zuò gōnggòngqìchē yào yí ge duō xiǎoshí ne.
不近，坐公共汽车要一个多小时呢。

例如：Tā hái zài jiàoshì li xuéxí.
他还在教室里学习。 [E]

51. Bié qù wàimiàn le, wǒmen zài jiā zuò ba.
别去外面了，我们在家做吧。 [ ]

52. Méiguānxi, hé wǒmen yìqǐ qù wánr ba.
没关系，和我们一起去玩儿吧。 [ ]

53. Nà jiā yīyuàn lí zhèr yuǎn ma?
那家医院离这儿远吗？ [ ]

54. Xià ge xīngqī'èr shì māma de shēngrì.
下个星期二是妈妈的生日。 [ ]

55. Nín hǎo, hěn gāoxìng rènshi nín.
您好，很高兴认识您。 [ ]

第 56-60 题

A Nǐ mǎi píngguǒ le? Duōshao qián yì jīn?
你买苹果了？多少钱一斤？

B Nǐ ràng tā shuō ba, shì tā gàosu wǒ de.
你让他说吧，是他告诉我的。

C Shì, zǎoshang qǐchuáng wǎn le, chū mén de shíhou yǐjīng diǎn le.
是，早上起床晚了，出门的时候已经8点了。

D Zhè yě shì yào xǐ de ma?
这也是要洗的吗？

E Méi, tā hēwán niúnǎi jiù shuìjiào le.
没，她喝完牛奶就睡觉了。

56. kuài, hěn piányi.
3块，很便宜。 ☐

57. Nǐ zài xiào shénme? Shénme shì zhème hǎoxiào?
你在笑什么？什么事这么好笑？ ☐

58. Nǚ'ér ne? Hái zài kàn shū ma?
女儿呢？还在看书吗？ ☐

59. Bù, nà jiàn hēisè de hái méi chuānguo ne.
不，那件黑色的还没穿过呢。 ☐

60. Nǐ zuò chūzūchē lái de?
你坐出租车来的？ ☐

H21224 卷听力材料

（音乐，30 秒，渐弱）

大家好！欢迎参加 HSK（二级）考试。
大家好！欢迎参加 HSK（二级）考试。
大家好！欢迎参加 HSK（二级）考试。

HSK（二级）听力考试分四部分，共 35 题。
请大家注意，听力考试现在开始。

第一部分

一共 10 个题，每题听两次。

例如：我们家有三个人。
　　　我每天坐公共汽车去上班。

现在开始第 1 题：

1. 桌子上有两杯茶。
2. 对不起，这个问题我不会回答。
3. 她在房间里打电话呢。
4. 你看，真的没钱了。
5. 我每天早上都要吃一个鸡蛋。
6. 现在还下雨吗？
7. 我写出来，你就知道是哪个字了。
8. 小猫在看什么呢？上面有东西？
9. 这是我新买的手机。
10. 你别说了，我不想听。

第二部分

一共 10 个题，每题听两次。

例如：男：你喜欢什么运动？
　　　女：我最喜欢踢足球。

现在开始第 11 到 15 题：

11．女：你慢点儿喝，今天怎么喝这么多水？
男：天气太热了。

12．男：这个题你懂了吗？
女：现在懂了，谢谢老师。

13．女：你看，车站就在前面。
男：没错，我们走吧。

14．男：送给你，生日快乐。
女：谢谢，这里面是什么？

15．女：这是你的狗？它几岁了？
男：三岁。

现在开始第 16 到 20 题：

16．男：小姐，请问您来点儿什么？
女：再等一下，我朋友还没到。

17．女：喂，你买到票了吗？
男：快了，我前面还有两个人。

18．男：你很爱看书？
女：是，我从小就喜欢读书。

19．女：你的眼睛怎么了？
男：没事，这几天工作忙，有点儿累。

20．男：你住哪儿？我开车送你吧。
女：谢谢，我住得很近，走路就可以了。

第三部分

一共 10 个题，每题听两次。

例如：男：小王，这里有几个杯子，哪个是你的？
女：左边那个红色的是我的。
问：小王的杯子是什么颜色的？

现在开始第 21 题：

21．女：下雨了，你路上开慢点儿。
男：好，你快回去吧，再见。
问：现在天气怎么样？

22．男：下午的考试是一点开始吗？
女：不，是两点，你在哪个教室考？
问：考试几点开始？

23．女：怎么就你一个人？你爸呢？
男：他去买报纸了，很快就回来。
问：爸爸为什么还没回来？

24．男：这些西瓜都太大了，有没有小点儿的？
女：您看这个怎么样？
问：男的觉得西瓜怎么样？

25．女：我想去买自行车，你能和我一起去吗？
男：没问题，现在就走吗？
问：女的想买什么？

26．男：你的电脑不是白色的吗？
女：这个是我姐姐的，我的在家里。
问：电脑是谁的？

27．女：这是你第一次来中国？
男：不是，去年六月我来过一次。
问：男的是什么意思？

28．男：小王，你丈夫身体现在怎么样了？
女：吃了药，已经好多了。
问：小王的丈夫怎么了？

29．女：这个椅子卖一千二，不是一百二。
男：这么贵？那再看看别的吧。
问：那个椅子多少钱？

30．男：喂，你什么时候到公司？
女：对不起，再等我十分钟，好吗？
问：女的最可能要去哪儿？

第四部分

一共 5 个题，每题听两次。

例如：女：请在这儿写您的名字。
　　　男：是这儿吗？
　　　女：不是，是这儿。
　　　男：好，谢谢。
　　　问：男的要写什么？

现在开始第 31 题：

31．男：这么晚了，还在学习？
　　女：星期日有考试，我要好好准备一下。
　　男：那也别太晚了，早点儿休息。
　　女：好，我知道了。
　　问：女的为什么还没休息？

32．女：你们明天几点的飞机？
　　男：上午八点四十。
　　女：那不是很早就要起床？
　　男：是，我们想六点就从家走。
　　问：男的明早最可能去哪儿？

33．男：怎么样？我做的菜还可以吧？
　　女：很好吃，我最喜欢吃你做的鱼了。
　　男：那你多吃点儿，还要米饭吗？
　　女：好的，谢谢。
　　问：女的觉得哪个菜最好吃？

34．女：小高，听说你要去旅游？
　　男：是，这个月九号。
　　女：你们一家人都去？
　　男：我妻子不去，我和我儿子去。
　　问：男的要和谁去旅游？

35．男：前面那个人你认识吗？
　　女：哪个？
　　男：正在和钱老师说话的那个。
　　女：他是新来的汉语老师，姓张，叫张进。
　　问：张进是做什么的？

听力考试现在结束。

一、听 力

第 一 部 分

第 1-10 题

例如：		√
		×
1.		
2.		
3.		
4.		
5.		

6.		
7.		
8.		
9.		
10.		

第二部分

第 11-15 题

A

B

C

D

E

F

例如：男：Nǐ xǐhuan shénme yùndòng?
你 喜欢 什么 运动？

女：Wǒ zuì xǐhuan tī zúqiú.
我 最 喜欢 踢 足球。 D

11. ☐

12. ☐

13. ☐

14. ☐

15. ☐

第 16-20 题

A

B

C

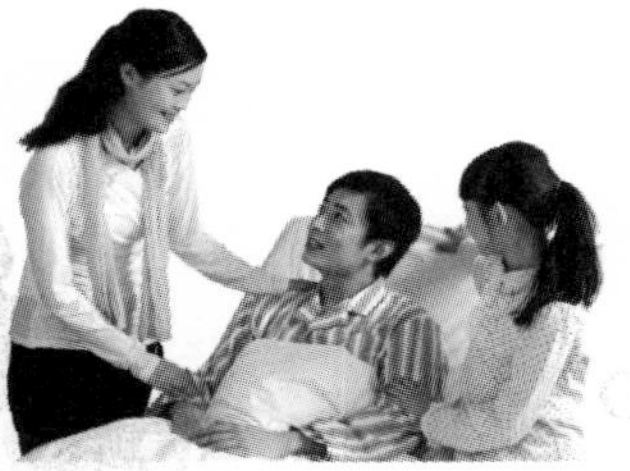

D

E

16. □

17. □

18. □

19. □

20. □

第三部分

第 46-50 题

例如：Xiànzài shì diǎn fēn, tāmen yǐjīng yóule fēnzhōng le.
现在是 11 点 30 分，他们已经游了 20 分钟了。

Tāmen diǎn fēn kāishǐ yóuyǒng.
★ 他们 11 点 10 分开始游泳。 （ √ ）

Wǒ huì tiàowǔ, dàn tiàode bù zěnmeyàng.
我会跳舞，但跳得不怎么样。

Tā tiàode fēicháng hǎo.
★ 她跳得非常好。 （ × ）

46. Zhè jǐ ge yánsè wǒ dōu fēicháng xǐhuan, mǎi nǎge hǎo ne? Nǐ lái bāng wǒ kànkan.
这几个颜色我都非常喜欢，买哪个好呢？你来帮我看看。

Tā bù xǐhuan nàxiē yánsè.
★ 他不喜欢那些颜色。 （ ）

47. Wǒ huíqù le, jīntiān xièxie nǐmen, xiàcì huānyíng nǐmen dào wǒ jiā qù wánr, zàijiàn.
我回去了，今天谢谢你们，下次欢迎你们到我家去玩儿，再见。

Tā zhǔnbèi huíqù le.
★ 他准备回去了。 （ ）

48. Wǒ mèimei míngtiān yǒu kǎoshì, zhèngzài fángjiān li kàn shū ne. Nǐ děngdeng, wǒ qù bāng nǐ jiào tā.
我妹妹明天有考试，正在房间里看书呢。你等等，我去帮你叫她。

Mèimei zài xuéxí.
★ 妹妹在学习。 （ ）

Zhè jiā diàn shì xīn kāi de, kāfēi búcuò, wǒ méi shì de shíhou dōu
49. 这 家 店 是 新 开 的，咖啡 不错 ，我 没 事 的 时候 都
huì lái zhèr zuòzuo, hē bēi kāfēi.
会 来 这儿 坐坐 ，喝 杯 咖啡 。

Tā juéde nàr de kāfēi bù hǎohē.
★ 他 觉得 那儿 的 咖啡 不 好喝 。 (　　)

Zhège xīngqīrì nǐ yǒu shìqing ma? Wǒ xiǎng qù yīyuàn kàn yǎnjing,
50. 这个 星期日 你 有 事情 吗 ？ 我 想 去 医院 看 眼睛 ，
kěyǐ hé wǒ yìqǐ qù ma?
可以 和 我 一起 去 吗 ？

Tā xiǎng xīngqītiān qù yīyuàn.
★ 他 想 星期天 去 医院 。 (　　)

第四部分

第 51-55 题

A　Hǎo, wǒ yě hěn cháng shíjiān méi yùndòng le.
好，我也很长时间没运动了。

B　Piàoliang ba? Zhè shì wǒ gēge sòng gěi wǒ de.
漂亮吧？这是我哥哥送给我的。

C　Yú hěn kuài jiù zuòhǎo le.
鱼很快就做好了。

D　Qù wǒ fángjiān zuòzuo, hē bēi chá?
去我房间坐坐，喝杯茶？

E　Tā zài nǎr ne? Nǐ kànjiàn tā le ma?
他在哪儿呢？你看见他了吗？

F　Shì Zhāng lǎoshī, tā shì wǒmen de Hànyǔ lǎoshī.
是张老师，他是我们的汉语老师。

例如：Tā hái zài jiàoshì li xuéxí.
他还在教室里学习。　[E]

51. Xiàwǔ yìqǐ qù tī qiú?
下午一起去踢球？　[ ]

52. Nǐ xǐxi shǒu, wǒmen zhǔnbèi chī fàn ba.
你洗洗手，我们准备吃饭吧。　[ ]

53. Zuò zài nǐ qiánmiàn de zhège rén shì shéi?
坐在你前面的这个人是谁？　[ ]

54. Bù le, zǒule yì tiān yǒu diǎnr lèi, wǒ xiǎng huíqù xiūxi.
不了，走了一天有点儿累，我想回去休息。　[ ]

55. Nǐ kàn, wǒ de xīn zìxíngchē zěnmeyàng?
你看，我的新自行车怎么样？　[ ]

第 56-60 题

A
Dōu diǎn le, nǐ zěnme hái bù qǐchuáng?
都 8 点 了，你 怎么 还 不 起床 ？

B
Nàxiē tí dōu zuòwánle ma?
那些 题 都 做完了 吗 ？

C
Shì, wǒ cóng qùnián jiù kāishǐ shàngbān le.
是，我 从 去年 就 开始 上班 了。

D
Jiù shì qiánnián qù Běijīng wánr de nà cì.
就 是 前年 去 北京 玩儿 的 那 次。

E
Wǒ gěi nǐ zhǎole yìxiē shū, yǒu shíjiān nǐ kěyǐ kànkan.
我 给 你 找了 一些 书，有 时间 你 可以 看看 。

56.
Nǐ yǐjīng gōngzuò le?
你 已经 工作 了？ ☐

57.
Wǒ jīntiān méi shénme shì, ràng wǒ zài shuì fēnzhōng.
我 今天 没 什么 事，让 我 再 睡 10 分钟 。 ☐

58.
Kěnéng huì duì nǐ yǒu bāngzhù.
可能 会 对 你 有 帮助 。 ☐

59.
Wǒ hé wǒ zhàngfu shì lǚyóu shí rènshi de.
我 和 我 丈夫 是 旅游 时 认识 的。 ☐

60.
Hái yǒu liǎng ge, kuài le.
还 有 两 个，快 了。 ☐

H21225 卷听力材料

（音乐，30 秒，渐弱）

大家好！欢迎参加 HSK（二级）考试。
大家好！欢迎参加 HSK（二级）考试。
大家好！欢迎参加 HSK（二级）考试。

HSK（二级）听力考试分四部分，共 35 题。
请大家注意，听力考试现在开始。

第一部分

一共 10 个题，每题听两次。

例如：我们家有三个人。
　　　我每天坐公共汽车去上班。

现在开始第 1 题：

1. 你看，小狗在玩儿什么呢？
2. 今天真热。
3. 这块儿手表是你的吗？
4. 孩子们，快来吃水果。
5. 她还没起床呢。
6. 报纸在哥哥那儿。
7. 鸡蛋怎么卖？
8. 喝牛奶对身体好，你也来一杯？
9. 下课后我们去打篮球吧。
10. 她很高兴，因为今天是她的生日。

第二部分

一共 10 个题，每题听两次。

例如：男：你喜欢什么运动？
　　　女：我最喜欢踢足球。

现在开始第 11 到 15 题：

11．女：你怎么了？
男：没事，昨天睡得太晚了。

12．男：你现在去机场？
女：是的，再见。

13．女：能让我想一想再回答吗？
男：没问题。

14．男：你别笑，听我说完。
女：这件事太好玩儿了，谁告诉你的？

15．女：服务员，我们的米饭怎么还没来？
男：请等一下，我去看看。

现在开始第 16 到 20 题：

16．男：怎么样？这本书很有意思吧？
女：是，非常有意思。

17．女：喂，路上车多，我可能要晚到几分钟。
男：没关系，你慢点儿开。

18．男：打开看看里面是什么。
女：送给我的？谢谢。

19．女：你好好休息，明天我和女儿再来看你。
男：好，明天见。

20．男：他姓"白"，不是"百"。
女：对不起，我打错了。

第三部分

一共 10 个题，每题听两次。

例如：男：小王，这里有几个杯子，哪个是你的？
女：左边那个红色的是我的。
问：小王的杯子是什么颜色的？

现在开始第 21 题：

21．女：这个西瓜真大，有十几斤吧？
男：十五斤。我看今天西瓜不错，所以就买了一个大的。
问：女的觉得西瓜怎么样？

22．男：还少几个椅子？
女：两个，你看看旁边那个教室还有没有。
问：女的让男的找什么？

23．女：你是第一次来北京？
男：不，去年我和朋友来过一次。
问：男的是什么意思？

24．男：小姐，这个电脑多少钱？
女：黑色这个吗？三千六。
问：那个电脑多少钱？

25．女：晚上我们去饭馆儿吃？
男：菜我都买好了，在家吃吧。
问：男的想在哪儿吃饭？

26．男：妈，外面还下雨吗？
女：下，今天早上别去跑步了。
问：现在天气怎么样？

27．女：你好，请问四零七房间怎么走？
男：您向右走，最里面那个房间就是。
问：女的要去哪个房间？

28．男：怎么还不进去？电影就要开始了。
女：我在等我妹妹，她去买水了。
问：女的为什么不进去？

29．女：钱医生，这些天怎么没看见你儿子？
男：他现在住学校，每个星期回来一次。
问：钱医生的儿子住哪儿？

30．男：小猫今天吃东西了吗？
女：吃了。中午给它吃了点儿药，好多了。
问：小猫怎么了？

第四部分

一共 5 个题，每题听两次。

例如：女：请在这儿写您的名字。
　　　男：是这儿吗？
　　　女：不是，是这儿。
　　　男：好，谢谢。
　　　问：男的要写什么？

现在开始第 31 题：

31．男：十点了，还不睡觉？
　　女：我明天不上课。
　　男：好吧，别离电视太近了，坐远点儿。
　　女：好，你去睡吧。
　　问：女的在做什么？

32．女：你二十四岁？
　　男：是，我是八八年的。
　　女：我也是，我的生日在十二月。
　　男：那我比你大，我是八八年二月。
　　问：男的生日在几月？

33．男：你这次是坐飞机回家吗？
　　女：飞机票太贵，我想坐火车。
　　男：坐火车要很长时间吧？
　　女：是，要十九个小时。
　　问：女的准备怎么回家？

34．女：这件红色的衣服怎么样？
　　男：不错，你穿着很漂亮。
　　女：那我就买这件了？
　　男：可以，买吧。
　　问：男的觉得那件衣服怎么样？

35．男：姐，上午有人找你。
　　女：谁找我？叫什么名字？
　　男：他说他姓李，是你大学同学。
　　女：好，我知道了。
　　问：上午谁来找女的了？

听力考试现在结束。

H21225卷答案

一、听 力

第一部分

1. ×	2. ×	3. √	4. √	5. √
6. ×	7. √	8. ×	9. √	10. ×

第二部分

11. F	12. E	13. A	14. C	15. B
16. A	17. E	18. B	19. C	20. D

第三部分

21. A	22. C	23. B	24. C	25. A
26. B	27. B	28. A	29. A	30. A

第四部分

31. C	32. C	33. C	34. B	35. B

二、阅 读

第一部分

36. E	37. B	38. F	39. A	40. C

第二部分

41. B	42. D	43. C	44. A	45. F

第三部分

46. ×	47. √	48. √	49. ×	50. √

第四部分

51. A	52. C	53. F	54. D	55. B
56. C	57. A	58. E	59. D	60. B

孔子学院总部/国家汉办
Confucius Institute Headquarters(Hanban)

汉语水平考试

HSK（二级）

H21226

注　意

一、HSK（二级）分两部分：

　1．听力（35 题，约 25 分钟）

　2．阅读（25 题，22 分钟）

二、**听力结束后，有 3 分钟填写答题卡。**

三、全部考试约 55 分钟（含考生填写个人信息时间 5 分钟）。

中国　北京　　　　孔子学院总部/国家汉办　编制

一、听 力

第一部分

第 1-10 题

例如：		√
		×
1.		
2.	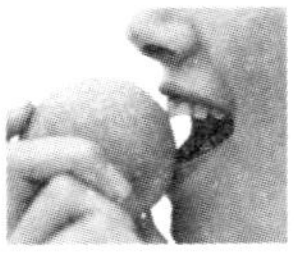	
3.		
4.		
5.		

6.		
7.		
8.		
9.		
10.		

第 二 部 分

第 11-15 题

A

B

C

D

E

F

例如：男： Nǐ xǐhuan shénme yùndòng?
你 喜欢 什么 运动 ？

女： Wǒ zuì xǐhuan tī zúqiú.
我 最 喜欢 踢 足球 。 D

11.

12.

13.

14.

15.

第 16-20 题

A

B

C

D

E

16. ☐

17. ☐

18. ☐

19. ☐

20. ☐

第三部分

第21-30题

例如：男：XiǎoWáng, zhèli yǒu jǐ ge bēizi, nǎge shì nǐ de?
小王，这里有几个杯子，哪个是你的？

女：Zuǒbian nàge hóngsè de shì wǒ de.
左边那个红色的是我的。

问：XiǎoWáng de bēizi shì shénme yánsè de?
小王的杯子是什么颜色的？

A hóngsè 红色 √　　B hēisè 黑色　　C báisè 白色

21. A tiānqì rè 天气热　　B xiǎng yóuyǒng 想游泳　　C yào qù tiàowǔ 要去跳舞

22. A yǐzi shàng 椅子上　　B zhuōzi shàng 桌子上　　C diànnǎo pángbiān 电脑旁边

23. A 4 suì 岁　　B 10 suì 岁　　C 14 suì 岁

24. A hěn lèi 很累　　B hǎo duō le 好多了　　C tiān qíng le 天晴了

25. A péngyou 朋友　　B háizi 孩子　　C qīzi 妻子

26. A hěn guì 很贵　　B hěn hǎokàn 很好看　　C bāngzhù bú dà 帮助不大

27. A chá 茶　　B chuáng 床　　C mǐfàn 米饭

28. A jiàoshì 教室　　B fànguǎnr 饭馆儿　　C huǒchēzhàn 火车站

29. A shàngkè 上课　　B kāi mén 开门　　C shuìjiào 睡觉

30. A láiwǎn le 来晚了　　B shēngbìng le 生病了　　C rèncuò rén le 认错人了

第四部分

第31-35题

例如：女：Qǐng zài zhèr xiě nín de míngzi.
请 在 这儿 写 您 的 名字 。

男：Shì zhèr ma?
是 这儿 吗 ？

女：Bú shì， shì zhèr.
不 是 ， 是 这儿 。

男：Hǎo， xièxie.
好 ， 谢谢 。

问：Nánde yào xiě shénme?
男的 要 写 什么 ？

	A	B	C
例	míngzi 名字 √	shíjiān 时间	fángjiān hào 房间 号
31.	xǐ yīfu 洗衣服	dǎ diànhuà 打 电话	kàn bàozhǐ 看 报纸
32.	tài dà le 太 大 了	hěn piányi 很 便宜	hěn piàoliang 很 漂亮
33.	Wáng lǎoshī 王 老师	Lǐ xiǎojiě 李 小姐	Zhāng yīshēng 张 医生
34.	diǎn 5 点	diǎn 6 点	diǎn 7 点
35.	chuán shàng 船 上	chūzūchē shàng 出租车 上	gōnggòngqìchē shàng 公共汽车 上

二、阅 读

第 一 部 分

第 36-40 题

A

B

C

D

E

F

Měi ge xīngqīliù, wǒ dōu qù dǎ lánqiú.
例如： 每 个 星期六 ， 我 都 去 打 篮球 。 D

Hòumiàn de tóngxué, nǐmen kuài yìdiǎnr.
36. 后面 的 同学 ， 你们 快 一点儿 。

Dìdi zài tīng gē, tā tīngbujiàn nǐ shuōhuà.
37. 弟弟 在 听 歌 ， 他 听不见 你 说话 。

Shēngbìng le jiù bié qù shàngbān le, zài jiā xiūxi ba.
38. 生病 了 就 别 去 上班 了 ， 在 家 休息 吧 。

Jiějie, shēngrì kuàilè!
39. 姐姐 ， 生日 快乐 ！

Nà liǎng zhāng diànyǐngpiào ne? Zěnme bú jiàn le?
40. 那 两 张 电影票 呢 ？ 怎么 不 见 了 ？

第二部分

第 41-45 题

A 走 zǒu　B 可能 kěnéng　C 累 lèi　D 手表 shǒubiǎo　E 贵 guì　F 去年 qùnián

例如：这儿的羊肉很好吃，但是也很（ E ）。
Zhèr de yángròu hěn hǎochī, dànshì yě hěn

41. 我丈夫是从（　　）开始学习汉语的。
Wǒ zhàngfu shì cóng kāishǐ xuéxí Hànyǔ de.

42. 大家（　　）了吧？我们到前面坐一下，喝点儿水。
Dàjiā le ba? Wǒmen dào qiánmiàn zuò yíxià, hē diǎnr shuǐ.

43. 天阴了，（　　）要下雨，别出去了。
Tiān yīn le, yào xiàyǔ, bié chūqù le.

44. 我家离那儿不远，（　　）路 10 分钟就到。
Wǒ jiā lí nàr bù yuǎn, lù fēnzhōng jiù dào.

45. 女：这块儿（　　）多少钱？
Zhè kuàir duōshao qián?

男：黑色的吗？3070。
Hēisè de ma?

第三部分

第46-50题

Xiànzài shì diǎn fēn, tāmen yǐjīng yóule fēnzhōng le.
例如：现在是11点30分，他们已经游了20分钟了。

Tāmen diǎn fēn kāishǐ yóuyǒng.
★ 他们11点10分开始游泳。 （ √ ）

Wǒ huì tiàowǔ, dàn tiàode bù zěnmeyàng.
我会跳舞，但跳得不怎么样。

Tā tiàode fēicháng hǎo.
★ 她跳得非常好。 （ X ）

Wǒ érzi shì yīshēng, tā měi tiān gōngzuò dōu hěn máng, yǒu shíhou xīngqīliù、 xīngqīrì yě yào qù yīyuàn shàngbān.
46. 我儿子是医生，他每天工作都很忙，有时候星期六、星期日也要去医院上班。

Tā érzi shì lǎoshī.
★ 他儿子是老师。 （ ）

Nǐ xìng "Chàng"? Zhège xìng hěn shǎo jiàn, wǒ shì dì-yī cì tīngshuō.
47. 你姓“唱”？这个姓很少见，我是第一次听说。

Xìng "Chàng" de rén hěn shǎo.
★ 姓“唱”的人很少。 （ ）

Yǒu xiē rén yīnwèi qǐchuáng wǎn le, jiù bù chī zǎofàn, zhèyàng zuò duì shēntǐ fēicháng bù hǎo.
48. 有些人因为起床晚了，就不吃早饭，这样做对身体非常不好。

Bù chī zǎofàn duì shēntǐ bù hǎo.
★ 不吃早饭对身体不好。 （ ）

49. Wǒ gē qù shāngdiàn mǎi dōngxi le, wǒ yě bù zhīdào tā shénme shíhou
我哥去商店买东西了，我也不知道他什么时候

huílai, nǐ dǎ tā shǒujī ba.
回来，你打他手机吧。

Gēge zài fángjiān li.
★ 哥哥在房间里。 ( )

50. XiǎoLǐ, tīngshuō nǐ xiànzài zài Běijīng Dàxué dú shū, nàr piàoliang
小李，听说你现在在北京大学读书，那儿漂亮

ma? Néng gěi wǒmen jièshào yíxià nǐ de xuéxiào ma?
吗？能给我们介绍一下你的学校吗？

XiǎoLǐ zài Běijīng shàngxué.
★ 小李在北京上学。 ( )

第四部分

第 51-55 题

A　Nǐ zhǔnbèi nǎ tiān huí jiā?
你 准备 哪 天 回 家？

B　Bú shì, zuótiān wánr diànnǎo de shíjiān tài cháng le.
不 是， 昨天 玩儿 电脑 的 时间 太 长 了。

C　Duìbuqǐ, zhè dōu shì wǒ de cuò.
对不起， 这 都 是 我 的 错。

D　Zuò zài Xiàoxiao pángbiān nàge rén shì shéi? Nǐ rènshi ma?
坐 在 笑笑 旁边 那个 人 是 谁？你 认识 吗？

E　Tā zài nǎr ne? Nǐ kànjiàn tā le ma?
他 在 哪儿 呢？ 你 看见 他 了 吗？

F　Nín kàn kāfēi kěyǐ ma?
您 看 咖啡 可以 吗？

例如：Tā hái zài jiàoshì li xuéxí.
他 还 在 教室 里 学习。　[E]

51.　Méiguānxi, shéi yě méi xiǎngdào jīntiān huì xiàxuě.
没关系， 谁 也 没 想到 今天 会 下雪。　[ ]

52.　yuè hào ba, zhèr hái yǒu xiē shìqing méi mángwán.
8 月 9 号 吧，这儿 还 有 些 事情 没 忙完。　[ ]

53.　Chuān bái yīfu de? Shì wǒ nǚ'ér de tóngxué.
穿 白 衣服 的？ 是 我 女儿 的 同学。　[ ]

54.　Fúwùyuán, qǐng gěi wǒ lái yì bēi rè niúnǎi.
服务员， 请 给 我 来 一 杯 热 牛奶。　[ ]

55.　Nǐ yǎnjing zěnme hóng le? Wǎnshang méi shuìhǎo?
你 眼睛 怎么 红 了？ 晚上 没 睡好？　[ ]

第 56-60 题

A Bù le, tài duō le, chībuwán.
不了，太多了，吃不完。

B Tā xiàng nàbian pǎo le.
它向那边跑了。

C Yǒu bù dǒng de, kěyǐ duō wènwen dàjiā.
有不懂的，可以多问问大家。

D Wǒ kàndào le, zhèr xiězhe ne, yì yuán yì jīn.
我看到了，这儿写着呢，一元一斤。

E Wǒ jiā jiù zài xuéxiào pángbiān.
我家就在学校旁边。

56. Nǐ kànjiàn wǒ de māo le ma?
你看见我的猫了吗？ ☐

57. Xīguā búcuò, zěnme mài?
西瓜不错，怎么卖？ ☐

58. Zhùde zhème jìn, zhēn hǎo!
住得这么近，真好！ ☐

59. Wǒmen zài lái ge yángròu?
我们再来个羊肉？ ☐

60. XiǎoGāo, jīntiān shì nǐ dì-yī tiān lái gōngsī ba?
小高，今天是你第一天来公司吧？ ☐

H21226 卷听力材料

（音乐，30 秒，渐弱）

大家好！欢迎参加 HSK（二级）考试。
大家好！欢迎参加 HSK（二级）考试。
大家好！欢迎参加 HSK（二级）考试。

HSK（二级）听力考试分四部分，共 35 题。
请大家注意，听力考试现在开始。

第一部分

一共 10 个题，每题听两次。

例如：我们家有三个人。
　　　我每天坐公共汽车去上班。

现在开始第 1 题：

1. 这个题我会，让我来回答。
2. 她正在洗苹果。
3. 你觉得这件衣服怎么样？
4. 他在休息，别说话。
5. 还冷吗？再来一杯？
6. 你的歌唱得真不错！
7. 什么事让你这么高兴？快告诉我。
8. 我是第一次来这儿游泳。
9. 等一下，我想想下面怎么走。
10. 爸爸做的鱼最好吃。

第二部分

一共 10 个题，每题听两次。

例如：男：你喜欢什么运动？
　　　女：我最喜欢踢足球。

现在开始第 11 到 15 题：

11．女：真漂亮！这是你的狗吗？
男：是的，是我的。

12．男：给，这是你要的票。
女：太好了，谢谢你。多少钱？

13．女：我们是不是走错路了？
男：没有，你看，我们在这儿。

14．男：你买鸡蛋了吗？
女：买了，我还买了一些菜和水果。

15．女：不客气，先生，欢迎您下次再来。
男：好，再见。

现在开始第 16 到 20 题：

16．男：我说“一二三”，大家一起笑，好吗？
女：好的，没问题。

17．女：你在想什么？
男：我在想那个汉字怎么写。

18．男：小姐，您看这个可以吗？
女：可以，就喝这个吧。

19．女：喂，明天下午你有时间吗？
男：有，什么事？

20．男：雨太大了，等雨小了我们再走吧。
女：好，现在时间还早。

第三部分

一共 10 个题，每题听两次。

例如：男：小王，这里有几个杯子，哪个是你的？
女：左边那个红色的是我的。
问：小王的杯子是什么颜色的？

现在开始第 21 题：

21．女：你怎么不去打篮球？
男：外面太热了，我想在家看电视。
问：男的为什么不去打球？

22．男：妈，你看见我的手表了吗？
女：在你的桌子上。
问：手表在哪儿？

23．女：您儿子说得真好！他今年几岁了？
男：他今年四岁。
问：他儿子多大了？

24．男：吃药了吗？身体好点儿了没有？
女：吃过了，比昨天好多了。
问：女的是什么意思？

25．女：你上星期去旅游了？
男：是，我和妻子去北京玩儿了几天。
问：男的和谁去北京了？

26．男：这本书怎么样？不错吧？
女：非常有意思，我三个小时就看完了。
问：女的觉得那本书怎么样？

27．女：为什么不要右边那个？
男：太小了，我想要张大一点儿的床。
问：男的想买什么？

28．男：中午吃饭怎么没看到你？
女：我在教室，有几个学生来找我，问了几个题。
问：女的中午在哪儿？

29．女：十二点了，睡觉吧，明天上午还要考试呢。
男：好的，我知道了。
问：女的让男的做什么？

30．男：对不起，我的车在路上出了点儿问题，所以来晚了。
女：没关系，你没什么事吧？
问：男的怎么了？

第四部分

一共 5 个题，每题听两次。

例如：女：请在这儿写您的名字。
男：是这儿吗？
女：不是，是这儿。
男：好，谢谢。
问：男的要写什么？

现在开始第 31 题：

31．男：今天的报纸还没送来？
女：已经送来了，在我这儿呢。
男：那你看完给我看看。
女：好，我很快就看完了。
问：女的正在做什么？

32．女：这是你新买的自行车？
男：是，准备送给我妹妹的。
女：颜色很好，很漂亮。
男：是吗？希望她也会喜欢。
问：女的觉得自行车怎么样？

33．男：您好，请问王老师在家吗？
女：在家。请问你是……
男：我是他的学生，我叫李元。
女：你好，快请进。
问：男的来找谁？

34．女：你明天几点去跑步？
男：七点，怎么了？
女：很长时间没运动了，我想和你一起去。
男：好，明天早上我叫你起床。
问：他们明天几点去跑步？

35．男：妈，您下飞机了吧？
女：是，你在哪儿呢？
男：我还在出租车上，您再等我一下。
女：好的，我在机场里的咖啡馆儿等你。
问：男的现在在哪儿？

听力考试现在结束。

H21226 卷答案

一、听 力

第一部分

1. √	2. ×	3. ×	4. √	5. √
6. √	7. ×	8. ×	9. √	10. ×

第二部分

11. E	12. A	13. C	14. B	15. F
16. D	17. A	18. E	19. C	20. B

第三部分

21. A	22. B	23. A	24. B	25. C
26. B	27. B	28. A	29. C	30. A

第四部分

31. C	32. C	33. A	34. C	35. B

二、阅 读

第一部分

36. F	37. C	38. E	39. B	40. A

第二部分

41. F	42. C	43. B	44. A	45. D

第三部分

46. ×	47. √	48. √	49. ×	50. √

第四部分

51. C	52. A	53. D	54. F	55. B
56. B	57. D	58. E	59. A	60. C

孔子学院总部/国家汉办
Confucius Institute Headquarters(Hanban)

汉 语 水 平 考 试

HSK（二级）

H21227

注　意

一、HSK（二级）分两部分：

1．听力（35 题，约 25 分钟）

2．阅读（25 题，22 分钟）

二、**听力结束后，有 3 分钟填写答题卡。**

三、全部考试约 55 分钟（含考生填写个人信息时间 5 分钟）。

中国　北京　　　　孔子学院总部/国家汉办　编制

一、听 力

第 一 部 分

第 1-10 题

例如：		√
		×
1.		
2.		
3.		
4.		
5.		

6.		
7.		
8.		
9.		
10.		

第二部分

第 11-15 题

A

B

C

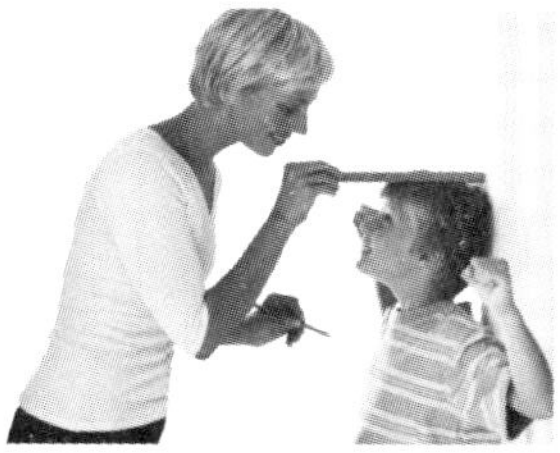

D

E

F

例如：男：Nǐ xǐhuan shénme yùndòng?
你 喜欢 什么 运动 ？

女：Wǒ zuì xǐhuan tī zúqiú.
我 最 喜欢 踢 足球 。 D

11.

12.

13.

14.

15.

第 16-20 题

A

B

C

D

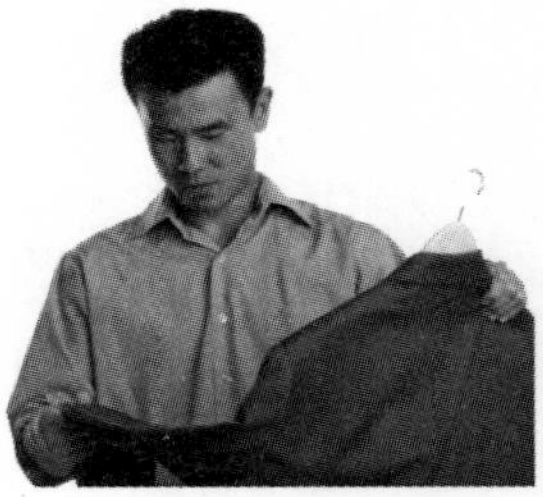

E

16. □

17. □

18. □

19. □

20. □

第三部分

第 21-30 题

例如：男： XiǎoWáng, zhèli yǒu jǐ ge bēizi, nǎge shì nǐ de?
小王，这里有几个杯子，哪个是你的？

女： Zuǒbian nàge hóngsè de shì wǒ de.
左边那个红色的是我的。

问： XiǎoWáng de bēizi shì shénme yánsè de?
小王的杯子是什么颜色的？

A hóngsè 红色 √　B hēisè 黑色　C báisè 白色

21. A láiwǎn le 来晚了　B shēngbìng le 生病了　C hái zài shuìjiào 还在睡觉

22. A hěn rè 很热　B tiān yīn le 天阴了　C xiàyǔ le 下雨了

23. A méi shíjiān 没时间　B xiǎng qù tiàowǔ 想去跳舞　C xiǎo gǒu bú jiàn le 小狗不见了

24. A tā gēge 她哥哥　B tā dìdi 她弟弟　C tā zhàngfu 她丈夫

25. A mén hòu 门后　B yǐzi shàng 椅子上　C zhuōzi shàng 桌子上

26. A 9：01　B 9：05　C 9：06

27. A hěn piányi 很便宜　B hěn hǎokàn 很好看　C tài cháng le 太长了

28. A píngguǒ 苹果　B xīnnián 新年　C shēngrì 生日

29. A jīchǎng 机场　B huǒchēzhàn 火车站　C fànguǎnr 饭馆儿

30. A bàozhǐ 报纸　B diànyǐng 电影　C Hànyǔ shū 汉语书

第四部分

第31-35题

例如：女：Qǐng zài zhèr xiě nín de míngzi.
请在这儿写您的名字。

男：Shì zhèr ma?
是这儿吗？

女：Bú shì, shì zhèr.
不是，是这儿。

男：Hǎo, xièxie.
好，谢谢。

问：Nánde yào xiě shénme?
男的要写什么？

A míngzi 名字 √　　B shíjiān 时间　　C fángjiān hào 房间号

	A	B	C
31.	jiàoshì 教室	shāngdiàn 商店	yīyuàn 医院
32.	gōngzuò máng 工作忙	shēntǐ bù hǎo 身体不好	bú ài yùndòng 不爱运动
33.	yú 鱼	yángròu 羊肉	mǐfàn 米饭
34.	liǎng ge yuè 两个月	ge yuè 12个月	yí suì duō 一岁多
35.	zǒu lù 走路	kāi chē 开车	zuò gōnggòngqìchē 坐公共汽车

二、阅 读

第一部分

第 36-40 题

A

B

C

D

E

F

Měi ge xīngqīliù, wǒ dōu qù dǎ lánqiú.
例如：每 个 星期六，我 都 去 打 篮球。 D

Tā shì wǒ zuì hǎo de péngyou.
36. 它 是 我 最 好 的 朋友。

Hěn gāoxìng nǐmen néng lái, kuài qǐng jìn ba.
37. 很 高兴 你们 能 来，快 请 进 吧。

Xiànzài shì sān gōngjīn duō yìdiǎnr, kěyǐ ma?
38. 现在 是 三 公斤 多 一点儿，可以 吗？

Nǐ xiào shénme ne? Yě gěi wǒ kànkan.
39. 你 笑 什么 呢？也 给 我 看看。

Jǐ diǎn le? Xuéshēngmen zěnme hái méi dào?
40. 几 点 了？学生们 怎么 还 没 到？

第二部分

第 41-45 题

A	B	C	D	E	F
fēicháng 非常	wàimiàn 外面	shēngrì 生日	xiàng 向	guì 贵	gàosu 告诉

Zhèr de yángròu hěn hǎochī, dànshì yě hěn
例如：这儿的羊肉很好吃，但是也很（ E ）。

Tiān qíng le, wǒmen qù tī qiú ba?
41. 天晴了，我们去（ ）踢球吧？

Jiějie, kuàilè! Zhège sòng gěi nǐ.
42. 姐姐，（ ）快乐！这个送给你。

Zhè jiàn shì shì shéi nǐ de?
43. 这件事是谁（ ）你的？

Wǒ xīwàng nǐ néng lái wǒmen gōngsī shàngbān.
44. 我（ ）希望你能来我们公司上班。

Nǐ hǎo, qǐng wèn huǒchēzhàn zěnme zǒu?
45. 女：你好，请问火车站怎么走？
Nǐ cóng zhèr qián zǒu, shí jǐ fēnzhōng jiù dào le.
男：你从这儿（ ）前走，十几分钟就到了。

第三部分

第46-50题

例如：
Xiànzài shì diǎn fēn, tāmen yǐjīng yóule fēnzhōng le.
现在是11点30分，他们已经游了20分钟了。

Tāmen diǎn fēn kāishǐ yóuyǒng.
★ 他们11点10分开始游泳。（ √ ）

Wǒ huì tiàowǔ, dàn tiàode bù zěnmeyàng.
我会跳舞，但跳得不怎么样。

Tā tiàode fēicháng hǎo.
★ 她跳得非常好。（ × ）

46\. Zhège zìxíngchē yánsè bú cuò, yuán yě bú guì, wǒmen jiù mǎi zhège ba.
这个自行车颜色不错，300元也不贵，我们就买这个吧。

Nàge zìxíngchē bú guì.
★ 那个自行车不贵。（ ）

47\. Duìbuqǐ, xià ge xīngqī yǒu kǎoshì, wǒ yào zhǔnbèi yíxià, suǒyǐ bù néng hé nǐ chūqù wánr le.
对不起，下个星期有考试，我要准备一下，所以不能和你出去玩儿了。

Tā zhèngzài kǎoshì.
★ 他正在考试。（ ）

48\. Wǒ zhè cì shì zuò fēijī huílai de, liǎng ge xiǎoshí jiù dào jiā le, bǐ zuò huǒchē kuàiduō le.
我这次是坐飞机回来的，两个小时就到家了，比坐火车快多了。

Tā yǐjīng dào jiā le.
★ 他已经到家了。（ ）

Wǒ juéde zhù zài zhèr hěn hǎo, lí xuéxiào jìn, wǒ kěyǐ měi tiān
49. 我 觉得 住 在 这儿 很 好，离 学校 近，我 可以 每 天
zǒuzhe qù shàngxué.
走着 去 上学 。

Tā zhùde lí xuéxiào hěn yuǎn.
★ 他 住得 离 学校 很 远 。 ( )

Yīshēng shuō mèimei méi shénme shì, huíqù chī diǎnr yào, duō hē rè
50. 医生 说 妹妹 没 什么 事，回去 吃 点儿 药，多 喝 热
shuǐ, xiūxi jǐ tiān jiù huì hǎo de.
水，休息 几 天 就 会 好 的。

Mèimei de bìng wèntí bú dà.
★ 妹妹 的 病 问题 不 大。 ( )

第四部分

第 51-55 题

A Wǒ xiàbān hòu qù shāngdiàn le, mǎile xiē niúnǎi hé jīdàn.
我下班后去商店了，买了些牛奶和鸡蛋。

B Duìbuqǐ, nǐ rèncuò rén le, wǒ xìng Wáng.
对不起，你认错人了，我姓王。

C Búkèqi, wǒ nàr hái yǒu yìxiē, nǐ xǐhuan jiù dōu gěi nǐ ba.
不客气，我那儿还有一些，你喜欢就都给你吧。

D Lǎoshī, wǒ huì.
老师，我会。

E Tā zài nǎr ne? Nǐ kànjiàn tā le ma?
他在哪儿呢？你看见他了吗？

F Bù, wǒ xiànzài hái bù xiǎng qǐchuáng.
不，我现在还不想起床。

例如： Tā hái zài jiàoshì li xuéxí.
他还在教室里学习。 [E]

51. Qǐng wèn nín shì Lǐ xiānsheng ma?
请问您是李先生吗？ [ ]

52. Zěnme huílaide zhème wǎn?
怎么回来得这么晚？ [ ]

53. Bié shuì le, hé wǒ yìqǐ qù pǎobù ba.
别睡了，和我一起去跑步吧。 [ ]

54. Nǐ shàng cì sòng wǒ de kāfēi hěn hǎohē, xièxie nǐ.
你上次送我的咖啡很好喝，谢谢你。 [ ]

55. Nǎge tóngxué néng huídá zhège wèntí?
哪个同学能回答这个问题？ [ ]

第 56-60 题

A
Bù zhīdào, wǒmen dǎkāi kànkan ba.
不知道，我们打开看看吧。

B
Dàjiā dōu shuō nàge diànyǐng hěn yǒuyìsi.
大家都说那个电影很有意思。

C
Cuò le, zuǒbian shì "yuè" zì, bú shì "rì".
错了，左边是"月"字，不是"日"。

D
Bú shì, wǒ qīzi hé nǚ'ér qù, tāmen zuótiān shàngwǔ jiù zǒu le.
不是，我妻子和女儿去，她们昨天上午就走了。

E
Nǐ yě zài zhèr gōngzuò? Wǒ zěnme méi jiànguo nǐ?
你也在这儿工作？我怎么没见过你？

56.
Dànshì wǒ méi kàndǒng.
但是我没看懂。 ☐

57.
"Fúwùyuán" de "fú" shì zhèyàng xiě ma?
"服务员"的"服"是这样写吗？ ☐

58.
Zhè lǐmiàn shì shénme dōngxi?
这里面是什么东西？ ☐

59.
Wǒ shì xīn lái de, wǒ jiào Qián Xuě.
我是新来的，我叫钱雪。 ☐

60.
Nǐmen yì jiā rén yào qù Běijīng lǚyóu?
你们一家人要去北京旅游？ ☐

H21227 卷听力材料

（音乐，30 秒，渐弱）

大家好！欢迎参加 HSK（二级）考试。
大家好！欢迎参加 HSK（二级）考试。
大家好！欢迎参加 HSK（二级）考试。

HSK（二级）听力考试分四部分，共 35 题。
请大家注意，听力考试现在开始。

第一部分

一共 10 个题，每题听两次。

例如：我们家有三个人。
我每天坐公共汽车去上班。

现在开始第 1 题：

1. 很高兴认识您。
2. 吃饭前要洗洗手。
3. 您说吧，我来写。
4. 他的舞跳得非常好。
5. 你觉得哪件好看？
6. 哥哥在房间里学习呢。
7. 她笑着说："不客气。"
8. 西瓜是我最喜欢的水果。
9. 看电脑时间长了，眼睛要休息一下。
10. 这本书不错，你可以读一读。

第二部分

一共 10 个题，每题听两次。

例如：男：你喜欢什么运动？
女：我最喜欢踢足球。

现在开始第 11 到 15 题：

11．女：累不累？休息一下吧？
　　男：没关系，还有一个题就做完了。

12．男：妈妈，我比去年高了多少？
　　女：我看看。

13．女：你有小张的电话吗？
　　男：手机上有，我找找。

14．男：外面冷吧？快喝杯热茶。
　　女：谢谢。

15．女：给您介绍一下，这就是小王。
　　男：你好，欢迎你。

现在开始第 16 到 20 题：

16．男：别看这个了，我们看篮球吧。
　　女：这个很有意思，让我看完吧。

17．女：爸爸，我去上课了，再见。
　　男：再见，路上慢点儿。

18．男：你家的小猫真好玩儿。
　　女：是，孩子们都很喜欢它。

19．女：先生，您看这件可以吗？
　　男：这件颜色我不太喜欢，有黑色的吗？

20．男：请问，你旁边有人吗？
　　女：没有，你坐吧。

第三部分

一共 10 个题，每题听两次。

例如：男：小王，这里有几个杯子，哪个是你的？
　　　女：左边那个红色的是我的。
　　　问：小王的杯子是什么颜色的？

现在开始第 21 题：

21．女：对不起，我来晚了。
男：没关系，还没开始呢。
问：女的怎么了？

22．男：天有点儿阴了。
女：今天下午有大雨，我们早点儿回去吧。
问：现在天气怎么样？

23．女：晚上我们去唱歌怎么样？
男：我今天有点儿忙，星期日再去吧。
问：男的今天为什么不去唱歌？

24．男：船票我帮你买好了，明天中午的。
女：太好了，哥，谢谢你。
问：谁帮女的买的船票？

25．女：今天早上的报纸呢？你看完了吗？
男：看完了，在桌子上。
问：报纸在哪儿？

26．男：现在是九点零六，你的手表慢了？
女：是，慢了五分钟。
问：现在几点了？

27．女：明天第一天上班，我穿这件衣服怎么样？
男：不错，很漂亮。
问：男的觉得那件衣服怎么样？

28．男：你哪天生日？
女：早呢，三月八号。
问：他们在说什么？

29．女：喂，你到机场了吗？
男：没有，我还在出租车上，你再等我几分钟。
问：男的要去哪儿？

30．男：这几个中国电影都不错，对学习汉语很有帮助，你回去可以看看。
女：好，我回去就看，谢谢。
问：男的让女的回去看什么？

第四部分

一共 5 个题，每题听两次。

例如：女：请在这儿写您的名字。
　　　男：是这儿吗？
　　　女：不是，是这儿。
　　　男：好，谢谢。
　　　问：男的要写什么？

现在开始第 31 题：

31．男：小姐，请问这个电视机怎么卖？
　　女：右边这个吗？四千八百九。
　　男：还有比这个再大一点儿的吗？
　　女：有，您到这边来看看。
　　问：他们最可能在哪儿？

32．女：你会打篮球？
　　男：是，我上小学的时候就会。
　　女：那怎么没见你玩儿过？
　　男：因为工作后事情太多，所以就很少玩儿了。
　　问：男的为什么现在很少打球？

33．男：你看看，想吃什么？
　　女：这家店有什么好吃的菜？
　　男：听说这儿的羊肉不错。
　　女：那我们就来个羊肉吧。
　　问：女的要吃什么？

34．女：小高，你儿子多大了？
　　男：一岁零两个月。
　　女：会说话了吧？
　　男：是，已经会叫爸爸妈妈了。
　　问：小高的儿子多大了？

35．男：我开车送你回去吧。
　　女：没事，我去前面坐公共汽车就可以。
　　男：那好吧，到家后给我打个电话。
　　女：好，再见。
　　问：女的怎么回去？

听力考试现在结束。

H21227卷答案

一、听 力

第一部分

1. ×	2. √	3. √	4. ×	5. √
6. ×	7. ×	8. ×	9. √	10. √

第二部分

11. E	12. C	13. B	14. A	15. F
16. E	17. A	18. C	19. D	20. B

第三部分

21. A	22. B	23. A	24. A	25. C
26. C	27. B	28. C	29. A	30. B

第四部分

31. B	32. A	33. B	34. C	35. C

二、阅 读

第一部分

36. F	37. A	38. C	39. E	40. B

第二部分

41. B	42. C	43. F	44. A	45. D

第三部分

46. √	47. ×	48. √	49. ×	50. √

第四部分

51. B	52. A	53. F	54. C	55. D
56. B	57. C	58. A	59. E	60. D

汉语水平考试 HSK（二级）答题卡

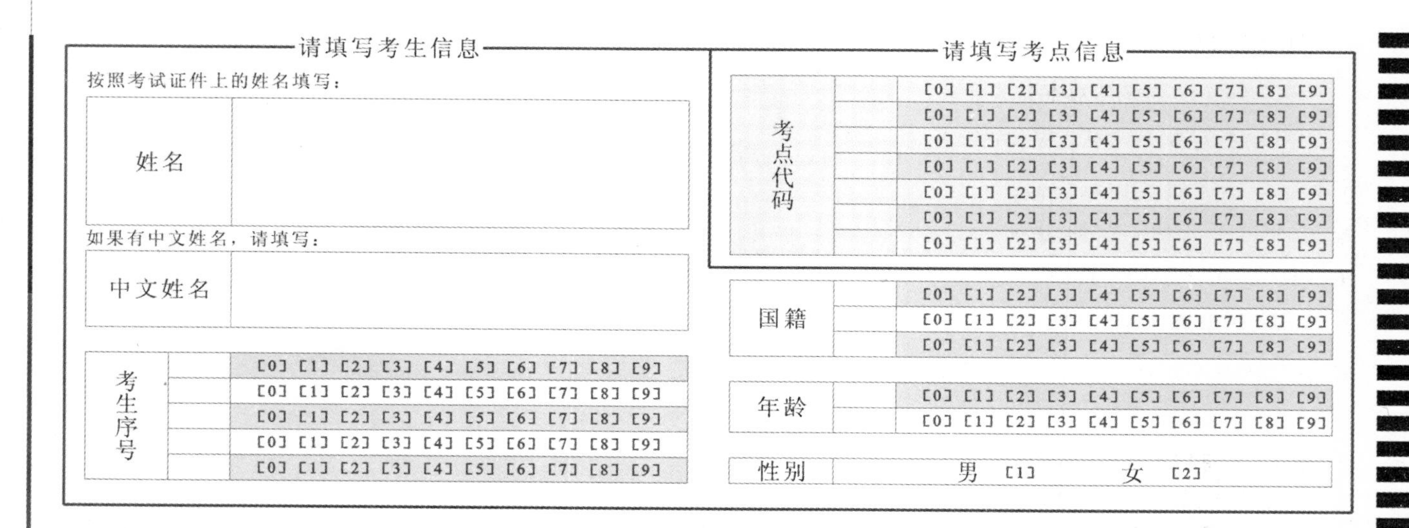
请填写考生信息

按照考试证件上的姓名填写：

姓名

如果有中文姓名，请填写：

中文姓名

考生序号

[0] [1] [2] [3] [4] [5] [6] [7] [8] [9]
[0] [1] [2] [3] [4] [5] [6] [7] [8] [9]
[0] [1] [2] [3] [4] [5] [6] [7] [8] [9]
[0] [1] [2] [3] [4] [5] [6] [7] [8] [9]
[0] [1] [2] [3] [4] [5] [6] [7] [8] [9]

请填写考点信息

考点代码

[0] [1] [2] [3] [4] [5] [6] [7] [8] [9]
[0] [1] [2] [3] [4] [5] [6] [7] [8] [9]
[0] [1] [2] [3] [4] [5] [6] [7] [8] [9]
[0] [1] [2] [3] [4] [5] [6] [7] [8] [9]
[0] [1] [2] [3] [4] [5] [6] [7] [8] [9]
[0] [1] [2] [3] [4] [5] [6] [7] [8] [9]
[0] [1] [2] [3] [4] [5] [6] [7] [8] [9]

国籍

[0] [1] [2] [3] [4] [5] [6] [7] [8] [9]
[0] [1] [2] [3] [4] [5] [6] [7] [8] [9]
[0] [1] [2] [3] [4] [5] [6] [7] [8] [9]

年龄

[0] [1] [2] [3] [4] [5] [6] [7] [8] [9]
[0] [1] [2] [3] [4] [5] [6] [7] [8] [9]

性别　男 [1]　女 [2]

注意　请用 2B 铅笔这样写：▬

一、听　力

1. [√] [×]
2. [√] [×]
3. [√] [×]
4. [√] [×]
5. [√] [×]
6. [√] [×]
7. [√] [×]
8. [√] [×]
9. [√] [×]
10. [√] [×]
11. [A] [B] [C] [D] [E] [F]
12. [A] [B] [C] [D] [E] [F]
13. [A] [B] [C] [D] [E] [F]
14. [A] [B] [C] [D] [E] [F]
15. [A] [B] [C] [D] [E] [F]
16. [A] [B] [C] [D] [E] [F]
17. [A] [B] [C] [D] [E] [F]
18. [A] [B] [C] [D] [E] [F]
19. [A] [B] [C] [D] [E] [F]
20. [A] [B] [C] [D] [E] [F]
21. [A] [B] [C]
22. [A] [B] [C]
23. [A] [B] [C]
24. [A] [B] [C]
25. [A] [B] [C]
26. [A] [B] [C]
27. [A] [B] [C]
28. [A] [B] [C]
29. [A] [B] [C]
30. [A] [B] [C]
31. [A] [B] [C]
32. [A] [B] [C]
33. [A] [B] [C]
34. [A] [B] [C]
35. [A] [B] [C]

二、阅　读

36. [A] [B] [C] [D] [E] [F]
37. [A] [B] [C] [D] [E] [F]
38. [A] [B] [C] [D] [E] [F]
39. [A] [B] [C] [D] [E] [F]
40. [A] [B] [C] [D] [E] [F]
41. [A] [B] [C] [D] [E] [F]
42. [A] [B] [C] [D] [E] [F]
43. [A] [B] [C] [D] [E] [F]
44. [A] [B] [C] [D] [E] [F]
45. [A] [B] [C] [D] [E] [F]
46. [√] [×]
47. [√] [×]
48. [√] [×]
49. [√] [×]
50. [√] [×]
51. [A] [B] [C] [D] [E] [F]
52. [A] [B] [C] [D] [E] [F]
53. [A] [B] [C] [D] [E] [F]
54. [A] [B] [C] [D] [E] [F]
55. [A] [B] [C] [D] [E] [F]
56. [A] [B] [C] [D] [E] [F]
57. [A] [B] [C] [D] [E] [F]
58. [A] [B] [C] [D] [E] [F]
59. [A] [B] [C] [D] [E] [F]
60. [A] [B] [C] [D] [E] [F]

图书在版编目（CIP）数据

HSK 真题集 ： 2014 版． 二级 / 孔子学院总部 / 国家汉办编制． -- 北京 ： 高等教育出版社， 2014.1（2017.1 重印）
ISBN 978-7-04-038976-0

Ⅰ．①H… Ⅱ．①孔… Ⅲ．①汉语－对外汉语教学－水平考试－试题 Ⅳ．①H195

中国版本图书馆 CIP 数据核字（2014）第 006781 号

策划编辑 梁 宇　　责任编辑 王 群　　封面设计 李树龙
责任校对 王 群　　责任印制 耿 轩

出版发行 高等教育出版社
社　　址 北京市西城区德外大街4号
邮政编码 100120
印　　刷 大厂益利印刷有限公司
开　　本 889mm×1194mm 1/16
印　　张 6.75
字　　数 131千字
购书热线 010-58581118
咨询电话 400-810-0598
网　　址 http://www.hep.edu.cn
http://www.hep.com.cn
网上订购 http://www.landraco.com
http://www.landraco.com.cn
版　　次 2014 年 1 月第 1 版
印　　次 2017 年 1 月第 5 次印刷
定　　价 55.00 元（含光盘）

物 料 号 38976-00